OILEÁN
NA SIORCANNA

www.leabharbreac.com

© Éditions Flammarion 2005
Aistriúchán Gaeilge © Leabhar Breac 2011

An Chomhairle um Oideachas
Gaeltachta & Gaelscolaíochta

Tá Leabhar Breac buíoch den Chomhairle um Oideachas Gaeltachta & Gaelscolaíochta as maoiniú a chur ar fáil don tsraith seo.

 Ireland Literature Exchange
Idirmhalartán Litríocht Éireann

Táimid buíoch de ILÉ as a gcabhair airgid don aistriúchán seo.

ISBN: 978-0-898332-56-8

Alain Surget

Annette Marnat

Oileán
na Siorcanna

LEABHAR
BREAC

Caibidil I

Ar Ancaire sna Cayes

Thart ar 1660, i Muir Chairib,
ag tarraingt ar an Easpáinneoil (Haïti).

An Easpáinneoil! Shíl Benjamin go raibh ceol san fhocal, mar a bheadh amhrán Spáinneach ann. Sna cúpla lá a chaith siad ag seoladh ar Mhuir Chairib ní raibh tada ach é ar a bhéal aige. An Easpáinneoil! An Easpáinneoil! B'ansin, i mbaile Cayes, a bhí sé féin agus a dheirfiúr Louise Bheag ag dul ar lorg a n-athar chlúitigh, an Captaen Roc. Athair nach raibh aithne ar bith acu air, ach a chuir tatú, a raibh píosa de léarscáil air, ar ghualainn gach aon duine acu agus iad ina bpáistí. Suite i mball tosaigh *Ordóg na Feirge*, seanlong foghlaí mara na Féasóige Duibhe*, níor bhain siad a gcuid súl den oileán a nocht é féin mar líne chrann pailme ar an bhfarraige, agus cnocáin le feiceáil ar a gcúl buailte suas in aghaidh na spéire.

'Táimid ann faoi dheireadh,' a dúirt Louise Bheag.

Níor thug Benjamin freagra uirthi.

* An Fheasóg Dhubh, foghlaí mara cáiliúil.

Tar éis dóibh an domhan a thrasnú ar a thóir, bhí sé chomh deacair aige a chreidiúint go raibh a athair áit éigin amach roimhe ar phíosa talún a bhí ar éigean ar bharr uisce, agus a bhí sé a cheapadh go bhféadadh sé breith ar an ngealach ina láimh.

Ach ní raibh amhras ann ach gurb é a gceann scríbe a bhí amach roimhe, agus tithe bána na hEaspáinneola le feiceáil tríd an bhfásra.

'Agus ar dheis, sin é Oileán na Bó.' Dhírigh sé a mhéar ar charnán carraigeach a bhí cosúil le sliogán mór cúig mhíle amach ón gcósta. 'Sin é áit fholaithe Dheaide.'

'Cuirfimid i dtír sna Cayes,' a d'fhógair an Marquis Roger de Parabas, captaen na loinge.

'Nach bhfuil baol ann go n-iompóidís na gunnaí móra orainn?' a d'fhiafraigh Benjamin go himníoch. 'Táimid ar long na Féasóige Duibhe!'

'Is mó foghlaithe mara ná Spáinnigh atá sa bhaile seo.'

'Cén chaoi a réitíonn siad le chéile?'

'Ligtear na foghlaithe mara isteach ar an

gcoinníoll go n-íocfaidh siad céatadán dá gcreach leis an ngobhanóir,' a mhínigh Parabas dóibh.

'Cuireann sé sin imní orm,' a dúirt Benjamin, 'mar níl tada againn le tabhairt dóibh.'

'Troidfimid!' Nocht Louise Bheag an marc-chlaíomh a bhí ar a crios aici. 'Is fada mé ag fanacht ar chath maith sráide!'

'Féadfaidh tú,' a deir Benjamin. 'Níl uaimse ach mo leabhar a léamh go ciúin.'

'Phhh! Tú féin is do chuid leabhar!' Chuir an cailín strainc uirthi féin.

'Ceapann tú go bhfuil tú iontach i do chuid éadaigh fir, ach is geall le bean tí thú i ngreim i do chlaíomh!'

'Éistigí, an bheirt agaibh!' Tháinig Parabas rompu. 'Gabhfaidh mé go Cayes i m'aonar ar thóir an Chaptaein Roc. Fanfaidh sibhse ar bord leis an gcriú.'

'Cén fáth?' D'fhill Louise Bheag a dhá láimh trasna ar a chéile. 'Nach é ár n-athair é!'

'Mar sin é a shocraigh mé.' Chuir an Marquis ina dtost iad. 'Níl an baile sábháilte, agus ní áit ar bith do pháistí é nead foghlaithe mara.'

'Ach is foghlaithe mara muidne freisin, mé féin agus mo dheartháir!'

'Déanaigí an rud a deirtear libh nó is daoibhse is measa é.'

'Crrrrochfar sibh de chrrrann mór na loinge, in ainm Neiptiúin!' a scairt Dún-do-Ghob, an phearóid a bhí suite ar ghualainn an chaptaein.

'Fanfaidh tusa anseo freisin,' a d'ordaigh Parabas don éan. 'Ní theastaíonn bolscaire uaim sa bhaile mór!'

'Gan drrruma gan trrroimpéad?' a bhéic an phearóid.

'Go díreach é! Agus má leanann tú mé, ordóidh mé do Chloigeann Pota, an cócaire, thú a bhruith don suipéar!'

'Feallairrre! Canablach! Feannairrre! Rrrrú!' A bhéic Dún-do-Ghob agus é ag eitilt in airde sna seolta.

Sheol *Ordóg na Feirge* isteach i gCuan Cayes. Bhí báid bheaga ag rince ar na tonnta agus longa móra ar ancaire ar an ród amach ar aghaidh an chalafoirt. Bhí long mhór thráchtála ag an gcé, agus í á lochtú don Spáinn le lasta earraí ón oileán.

'Cé acu long Dheaide?' a d'fhiafraigh Louise Bheag de Pharabas, agus é ag scrúdú na loinge lena ghloine féachana.

'Ní fheicim í.'

Bhí díomá ar an gcailín. 'Cén t-ainm atá ar a long?'

'An *Marie-Louise*, bruigintín dhá chrann, díreach cosúil leis an long seo.'

'Sin iad na hainmneacha s'againne — m'ainmse agus ainm mo mháthar!' a d'fhógair sí go mórtasach. 'An bhféadfainn breathnú tríd an ngloine féachana?'

Shín Parabas an ghloine féachana chuici. Scrúdaigh Louise Bheag na longa a bhí ar ancaire le súil go bhfeicfeadh sí long a hathar folaithe ag seolta nó ag long eile.

'D'fhéadfadh sé go bhfuil Deaide tagtha i dtír ar aon nós,' a dúirt sí go dóchasach.

'Breathnóidh mé go bhfeicfidh mé.'

'Nó d'fhéadfadh sé go bhfuil Deaide ar Oileán na Bó,' a dúirt Benjamin.

'Breathnóidh mé ansin, freisin. Cuir fios ar Tá-agus-Níl.'

Tháinig an máta de rith chuige.

'Cuir an bád iomartha i bhfarraige agus tabhair dom beirt fhear iomartha. Agus ansin, tabhair an long amach ón gcósta as raon ghunnaí móra an dúin — ní fios go deo céard a tharlódh ar an talamh. Tabhair an long ar ais anseo le contráth na hoíche.' D'ísligh sé a ghlór. 'Agus cuir Buille Claímh agus Goll ag faire na n-ógánach. Níor mhaith liom go mbuailfeadh fonn buile iad imeacht sa tóir ar an gCaptaen Roc.'

'Níl againn ach an t-aon bhád iomartha amháin,' a d'fhreagair Tá-agus-Níl, 'agus tabharfaidh tusa leat í sin. Má theastaíonn uathu dul i dtír caithfidh siad dul sa snámh i bhfarraige atá ag cur thar maoil le siorcanna!'

'Tá tú freagrach as an mbeirt. An dtuigeann tú?'

'Is dóigh go dtuigeann,' a dúirt Tá-agus-Níl le claonadh dá cheann.

Ba ghearr ina dhiaidh sin go raibh na hógánaigh ag breathnú i ndiaidh an bháid iomartha ag déanamh ar an gcaladh, agus an máta ag ordú don mhaor loinge a chuid fear a chur ag obair. Rinne na scóid díoscán sna frídeoirí agus na seolta á gcasadh le breith ar an ngaoth aniar. Chas an soitheach ar a cíle agus dhírigh a crann spreoide ar Oileán na Bó.

'Tá mé le ceangal!' Bhuail Louise Bheag a dorn anuas ar an tslat bhoird. 'Cé a cheapfadh go mbeadh Deaide chomh gar sin dúinn agus muidne ag imeacht uaidh!'

'Má thagann Parabas air tabharfaidh sé anseo anocht é,' a dúirt Benjamin, 'ach más in Oileán na Bó atá Deaide táimid ag druidim leis.'

'Níl a fhios agam cén chaoi a bhfuil tú in ann fanacht chomh socair. Táimse ag cogaint tairní le mífhoighne. Agus is ar éigean go bhfuil mé in ann mo dhá chois a choinneáil ar an deic. Tá sé do mo chur soir!'

Chaith sí súil siar thar a gualainn i dtreo an dá fhoghlaí mara a bhí ina seasamh in aghaidh an chrainn. Bhreathnaigh siad uirthi in éineacht, agus chuir an meangadh siorca a bhí ar an mbeirt acu míshuaimhneas ar Louise Bheag. Den chéad uair, rith sé léi go mb'fhéidir go raibh sí féin agus a deartháir ina bpríosúnaigh.

Caibidil II

Airm faoi Réir!

Bháigh *Ordóg na Feirge* ancaire ar an ród amach ón gcalafort. Níor bhain Benjamin ná Louise Bheag a súile de na Cayes ó thug siad cúl leis an gcósta, amhail is go raibh faitíos orthu go leáfadh an baile san aer.

Lig an cailín osna aisti. 'Mura bhfuil Deaide sna Cayes ná in Oileán na Bó céard a dhéanfaimid?'

'Fanacht, a dheirfiúirín!'

'Fanacht,' a dúirt sí go cantalach. 'Tá mo dhóthain fanachta déanta agam.'

Chas sí ar a cois agus chonaic sí Tá-agus-Níl ag labhairt leis an bpíolóta. Sheas sí os a gcomhair.

'Tharla go gcaithfimid fanacht go dtí titim na hoíche, cén fáth nach seolfadh muid thart ar Oileán na Bó ag féachaint an bhfuil an *Marie-Louise* ar ancaire ann?'

'Ní tharlóidh sé sin,' a dúirt an máta. 'D'ordaigh an captaen dúinn fanacht anseo, ansin filleadh ar a thóir. Níor thug sé cead dom dul ag seoladh timpeall an oileáin.'

'Ach ní bheidh a fhios aige,' a dúirt an cailín.

'Tá sceirdí coiréil faoin bhfarraige ann,' a dúirt an píolóta. 'Ní dóigh liom go bhféadfadh soitheach cur i dtír ar Oileán na Bó gan bhriseadh. Theastódh báidín beag le bealach a dhéanamh idir na sceirdí.'

'Cé a labhair ar í a chur i dtír?' Bhuail Louise Bheag a cosa ar an deic. 'Seoladh thart ar an oileán, a dúirt mé.'

'Má tá d'athair imithe i bhfolach, níor thug sé a long leis,' a d'fhreagair Tá-agus-Níl. 'Agus tá an oiread crompán is cuanta beaga ann le bád a cheilt nach bhfeicfeadh muid tada ón bhfarraige.'

'Má tá Deaide ar an oileán, ní bheidh a long i bhfad ó láthair.' Ba léir nach raibh deireadh fós le hargóintí Louise Bheag. 'Bheadh Parabas ag súil le scéala uait dá dtiocfadh an *Marie-Louise* sna farraigí seo.'

Cheartaigh an píolóta í. 'Ghearrfadh an captaen

pionós orainn. Ní chuirfidh sé suas le heasumhlaíocht.'

'Gearrrfaidh Parrrrabas pionós!' a scairt Dún-do-Ghob agus é ag eitilt os a gcionn. 'Crrrochfaidh sé den chrrrann mórrr...'

'Éist!' Bhí cantal ar an gcailín. 'Nó crochfaidh mise do chroibh den chrann mór agus déanfaidh mé cloigín díot!'

D'eitil an phearóid chomh fada le Benjamin. 'Rrrrrrú,' ar sé, agus a cheann faoina sciathán aige.

'Hóra!' a deir an gasúr. 'Feictear dom go bhfuil bád ar a bealach anseo. Is cosúil go bhfuil sí lán le fir armáilte!'

'Saighdiúirí?' a d'fhiafraigh an maor loinge de.

'Ní fheicim clogaid nó claimhte ag scaladh,' a dúirt Benjamin.

Bhrúigh na foghlaithe mara in aghaidh na slaite boird le hamharc níos fearr a fháil orthu. Scrúdaigh Tá-agus-Níl iad leis an ngloine féachana.

'Bucainéirí iad cosúil linn féin,' a d'fhógair sé. 'Meas tú céard atá uathu? A phíolóta, cuir na fir ar an airdeall.'

'An osclóidh mé na sliosphoill agus an ndíreoidh mé na gunnaí móra orthu?'

'Leis na gunnaí móra a dhíriú orthu chaithfeadh muid an t-ancaire a chrochadh, na seolta a ardú, agus an long a thabhairt thart. Níl an t-am againn.'

Chas an píolóta ar a chois agus bhéic in ard a chinn. 'Claimhte agus piostail faoi réir! Gach duine ag a phost comhraic!'

'Troid faoi dheireadh!' a dúirt Louise Bheag go sásta. 'Tabhair domsa piostal freisin!'

'Go deimhin, ní thabharfaidh! I gcás contúirte gabhfaidh tú féin agus do dheartháir i bhfolach i gcábán an chaptaein,' a dúirt an píolóta.

'Agus cosnóimid muid féin le léarscáileanna agus leabhair, an ea!' a dúirt an cailín. 'Ar a laghad tabhair scian nó casúr nó píosa de mhaide dom.'

Níor thug Tá-agus-Níl freagra uirthi. Bhí a aird aige ar na foghlaithe mara a bhí ag scaoileadh an tseoil laidinigh lena mbád a mhoilliú. Ba le buillí maidí rámha a thug siad í isteach taobh le *hOrdóg na Feirge*. Chrom Tá-agus-Níl amach thar an tslat bhoird, agus líne muscaed ar a chúl.

'Céard atá uaibh?' a d'fhiafraigh sé díobh de ghuth bagrach.

'Tá soitheach breá agaibh,' a dúirt an bodach mór a bhí ina sheasamh ag posta an bháid. 'Táim cinnte go bhfuil mairnéalaigh uaibh chun an criú a mhéadú. Cuirigí síos bhur ngunnaí agus caith anuas dréimire súgáin chugainn.'

'Tá ár ndóthain de chriú againn. Filligí ar na Cayes.'

Bhreathnaigh an bodach go míshásta amach faoina mhalaí orthu. 'Níl tada le déanamh againn ar an talamh. Níl aon airgead fanta againn. Chuirfeadh ruathar beag ar bhaile éigin i Iamáice nó i bPanama pinginí inár bpócaí.'

Chroith Tá-agus-Níl a cheann, agus chroch sé a phiostal. 'Fanaigí glan orainn.'

'Cuimhnígí air,' a dúirt an bodach. 'Táimid in ann troid. Ní bheidh aon aiféala oraibh....'

Labhair duine de na foghlaithe mara eile leis os íseal. 'Ná caith do chuid ama leis. Ní ligfidh siad ar bord muid. Ach teastaíonn an bád seo uainn.'

Baineadh cling as airm, caitheadh solas de rinn

claímh. Sheas an dá bhuíon ag stánadh ar a chéile.
Leis sin scaoileadh urchar, agus bhí sé ina chath.
D'eitil na graiféid tríd an aer, ag greamú sa tslat.
Scaoileadh muscaeid. Thuairteáil daoine in aghaidh
a chéile. Ligeadh béiceacha. Dhreap na foghlaithe
mara in airde ar an long, bhris siad tríd an líne

chosanta, agus chruinnigh siad ar an droichead. Ghearr claimhte tríd an aer. Scaoileadh piostail. Rug na cosantóirí greim bairille ar a ngunnaí agus chuaigh ag bualadh thart orthu.

Ina seasamh in airde ar cheaig, bhí Louise Bheag ag gríosú an chriú le béiceacha, agus a deartháir ag iarraidh í a thabhairt anuas. Go tobann, tháinig Goll ar an láthair, chaith lámh thart ar a coim agus chaith anuas ar an deic í. 'Fan ar an bhfoscadh,' a bhéic sé. 'An gcaithfidh mé thú a cheangal sula dtabharfaidh tú aird orm?' a bhéic sé uirthi sula bhfuair sí deis freagra a thabhairt air.

D'iompaigh sé thart in am chun é féin a chosaint ar ionsaí ó fhoghlaí mara. Fad is a bhí na fir ag dreapadh sa rigín le deis níos fearr a fháil ar an namhaid, tharraing Benjamin a dheirfiúr i dtreo chábán Pharabas. Thosaigh an lámhach arís, agus béiceacha péine. D'éirigh boladh an phúdair ghunna agus an deataigh san aer. Líonadh an droichead leis na mairbh agus na fir ghonta.

Dhún Benjamin doras an chábáin ar a chúl. 'Níl na hionsaitheoirí chomh líonmhar sin, ach tá fonn na fola orthu,' a dúirt sé. 'Ach céard atá ar siúl agatsa?'

Bhí an fhuinneog oscailte aici agus í crochta amach faoin deic dheiridh. 'Feicim bád na bhfoghlaithe mara,' a dúirt sí. Má dhreapaimid anuas an cábla d'fhéadfadh muid teacht chomh fada léi.'

'Céard atá i gceist agat?'

'Níl ach bealach amháin ann go bhfaighimid amach an bhfuil Deaide ar Oileán na Bó, sin dul ann.'

'Agus mura bhfuil sé ann?'

'Fanfaimid leis. Beidh sé níos spéisiúla ar an oileán ná a bheith sáinnithe ar bord loinge. Luath nó mall tiocfaidh Deaide ar ais ann. Is cinnte go bhfuil stór bia aige ann. Ní bheimid ag brath ar Pharabas níos mó.'

'Agus má tá Deaide sna Cayes?'

'Dá mhéad a smaoiním air, is mó a cheapaim nach ann atá sé. Bheadh an *Marie-Louise* sa chaladh.... Agus fiú má tá sé ann, beidh sé in ann teacht orainn ar a oileán. Fág seo sula n-imeoidh an phionais le sruth nó sula léimfidh na foghlaithe mara ar ais inti le héalú ón long seo!'

'Níl a fhios agam an smaoineamh maith é seo,' a dúirt Benjamin.

'Go dtí an diabhal leat féin is do chuid smaointe maithe! Níl sé i gceist agamsa i bhfad eile a chaitheamh i mo ghiolla loinge ar *Ordóg na Feirge*. Gabh i leith uait....'

Plab! Leis sin bualadh comhla an dorais isteach in aghaidh bhalla an chábáin. Ina sheasamh sa doras, bhí foghlaí mara mór gránna agus claíomh ina láimh aige.

'Breathnaigh air seo,' a dúirt sé de gháire. 'Dhá éinín bheaga ag iarraidh eitilt as an nead!'

Rith sé ar an mbeirt. Bhrúigh sé Benjamin de leataobh agus chaith sé é féin ar Louise Bheag ionas nach n-éalódh sí amach an fhuinneog. Lig sí béic aisti. Chosain sí í féin lena cosa is a lámha, agus lena hingne is a cuid fiacla. Plab! Tháinig lagar ar an bhfear. Scaoil sé dá ghreim ar an gcailín óg, d'oscail sé a bhéal, agus leath an dá shúil ann. Plab! Thit sé anuas ar a ghlúine. Ina sheasamh taobh thiar de, bhí Benjamin agus an leabhar mór loinge ina dhá láimh aige, ansin bhuail sé anuas den tríú

huair í ar chloigeann an bhodaigh. Plab! Thit an foghlaí mara ar an urlár, gan mhothú.

'Maith thú,' a dúirt Louise Bheag.

'Anois feiceann tú cé chomh húsáideach is atá na leabhair!'

'Is maith liom an bealach atá agat le rudaí a chur ina luí ar dhuine,' a dúirt sí, agus claíomh an fhir á thógáil aici. 'Fág seo!'

Shleamhnaigh Louise Bheag amach an fhuinneog agus sheas sí ar liopa adhmaid a shín timpeall le cabhail na loinge. Nuair ba léir do Bhenjamin go raibh torann an chomhraic ag teacht i ngar dóibh, dheifrigh sé amach i ndiaidh a dheirféar. Teannta isteach leis an gcabhail, ghluais siad cos ar chois, go mall, cúramach. Thit corp anuas tharstu, ag cuimilt ina n-aghaidh, agus lig an gasúr béic as. Baineadh dá chothrom é agus bhí sé ar tí titim nuair a rug Louise Bheag air, díreach agus eite liath ag gearradh tríd an bhfarraige i dtreo na loinge.

'Siorc,' a dúirt sí.

'Tá tuilleadh acu ann,' a dúirt Benjamin. Bhí eití dorcha ag déanamh ar *Ordóg na Feirge*. 'Is gearr go mbeidh siad thíos fúinn.'

Bhí an phionais ar snámh le taobh na loinge. Ar an droichead, os a gcionn, bhí sé ina chogadh dearg agus na hionróirí deireanacha cruinnithe timpeall ar an gcrann mór.

'Caithfimid léim!' a dúirt Louise Bheag.

'Tá tú as do mheabhair! Má chorraíonn an bád, tit....'

Chaith an cailín í féin den long. Thit sí anuas sa bhád, ach caitheadh an bád anonn is anall leis an tuairteáil. Bhí sé de chiall ag Louise Bheag breith ar an gcrann seoil, agus níor caitheadh i bhfarraige í. De léim, tháinig Benjamin anuas lena taobh. Thóg siad maide rámha an duine agus chrom siad ar an iomramh gur ghluais an phionais amach ón long.

'Sin é é,' a dúirt an cailín, agus saothar uirthi. 'As seo amach ní bheimid ag brath ar dhuine ar bith.'

B'ansin a tháinig an phearóid ag eitilt chucu. 'Darrr crrraiceann an diabhail, táimid ag currr chun farrraige!'

'Dún do ghob,' a dúirt an bheirt as béal a chéile.

'Nó feannfaidh mé an craiceann díot,' a chríochnaigh Louise Bheag.

Chuir an fhéachaint a thug sí air an oiread faitís air gur eitil sé in airde sa chrann, chrom sé a chloigeann faoina sciatháin agus lig rrrrrú as le teann uafáis.

Caibidil III

Fiacla na
Farraige

Múchadh gleo an chomhraic ar an long. Caitheadh i bhfarraige na foghlaithe mara a bhí caillte nó gortaithe, chomh maith le mairbh na loinge. D'éirigh duine éigin ina sheasamh ar an deic dheiridh agus é ag déanamh comharthaí ar an mbeirt lena dhá láimh san aer.

'Tá sé ag glaoch orainn,' a dúirt an gasúr.

'Féadfaidh sé an dá láimh a chrochadh go dtitfidh siad de,' a dúirt a dheirfiúr. 'Nílimid ag dul ar ais. Tá mé ag dul ar an oileán sa tóir ar Dheaide agus ní stopfaidh duine ar bith beo mé.'

'Tiocfaidh Tá-agus-Níl i do dhiaidh.'

'Cabhraigh liom agus ní bhéarfaidh sé orainn.'

Leag Benjamin uaidh an maide rámha, scaoil sé an scód agus chroch sé an seol in airde sa ghaoth. Phreab an phionais chun tosaigh agus ghearr bealach trí na tonnta. Thóg an gasúr an halmadóir agus shuigh a dheirfiúr san áit go bhféadfadh sí súil a choinneáil ar *Ordóg na Feirge.*

'Tá siad ag scaoileadh seoil,' a dúirt sí. 'Tá an canbhás crochta agus tá an píolóta á tabhairt thart le breith ar an ngaoth.'

'Tá *Ordóg na Feirge* trom. Ní chasfaidh sí thart ach go mall, ach chomh luath is a bhéarfaidh sí ar an ngaoth beidh siúl fúithi.'

Níor éirigh Louise Bheag. Bhí a haird ar fad ar dhá thriantán a bhí tagtha go barr uisce. 'Ní hiad fir Pharabas amháin atá sna sála orainn,' a dúirt sí, agus creathán ina glór.

Thug Benjamin féachaint siar thar a ghualainn. Mhéadaigh an dá chruth dhubha sa sruth taobh thiar den bhád. Siorcanna. 'Ceanglóidh mé an halmadóir agus coinneoimid an seol sa ghaoth. Má théimid ag iomramh gluaisfimid níos sciobtha.'

'Fágfaimid an long inár ndiaidh, ach fanfaidh na siorcanna linn.'

'Tá a fhios agam. Tá súil agam go gcoinneoidh buillí na maidí siar iad agus nach mbáfaidh siad a

gcuid fiacla sa bhád.'

Shuigh siad ar an seas, le taobh a chéile, agus chrom siad ar na maidí. Bhuail faitíos Benjamin. 'Tá tuilleadh acu ann!' Bhí an fharraige thart timpeall orthu breac le heití siorcanna. 'Ba chóir dúinn filleadh ar *Ordóg na Feirge*.'

'Beag an baol,' a deir Louise Bheag. 'Níl an

t-oileán i bhfad uainn. Ní dóigh liom go mbeidh
na héisc ghránna sin in ann léimneach in airde sa
bhád.'

Go fóill, ní dhearna na siorcanna ach an bád
beag a thimpeallú. Go tobann, le buille bodhar
d'éirigh séideán gaoithe agus caitheadh scaird
uisce in airde orthu.

'Tá *Ordóg na Feirge* ag scaoileadh linn!' a bhéic Louise Bheag.

'Ní raibh ansin ach rabhadh. Sin, nó tá Tá-agus-Níl ag baint úsáide as an ngunna mór chun na siorcanna a scaipeadh.'

Chaith na tonnta a bhí ag madhmadh thart timpeall ar an oileán fál ceo in airde.

'Táimid ag teacht i ngar do na sceirdí,' a mheas an gasúr. 'Laghdóidh mé an seol agus tógfaidh mé an halmadóir arís. Seasadh tusa ag an mball tosaigh agus treoraigh tríd na carraigeacha báite mé. Tá tóin chothrom faoin mbád, agus ba chóir go mbeadh muid in ann teacht i dtír gan stró.'

Chabhraigh Louise Bheag lena deartháir an seol a thabhairt anuas. 'Breathnaigh,' a scairt sí, 'níl dé ar na siorcanna.'

'Is iad na sceirdí, nó b'fhéidir an gunna mór a scanraigh iad,' a dúirt Benjamin. 'Ní thiocfaidh *Ordóg na Feirge* níos gaire dúinn ach an oiread.

Chaith an fharraige í féin ar na sceirdí le búireach ollmhór, agus nochtadh an chéad cheann de na fiacla mara faoi bharr uisce.

'Darrr fiacail an tsiorrrca, bainfidh sé sin crrroitheadh as na cláirrr!' a bhéic Dún-do-Ghob.

'Faraor nach raibh cleití orm féin,' a dúirt Louise Bheag léi féin.

Chrom sí agus sháigh sí a maide rámha díreach síos san fharraige le doimhneacht na mara a thomhas. Tarraingíodh an maide glan as a lámha. Lig sí béic. Ní raibh ach dóthain ama aici chun í féin a tharraingt siar nuair a d'éirigh craos mór uafásach aníos as an bhfarraige, bhain plaic as an tslat bhoird agus thug leis cuid den chlár. Tháinig an maide rámha aníos go barr uisce agus a leath bainte de.

'Tá na siorcanna dár n-ionsaí!' a bhéic Louise Bheag.

Bhuail na siorcanna in aghaidh chabhail an bháid, ag bá na bhfiacla inti, agus ag croitheadh a gcloigne chun píosaí cláir a thabhairt leo.

'Brúigh uait iad!' a scairt Benjamin. 'Má scaoilim leis an halmadóir báfar ar na sceirdí muid!'

Rug an cailín ar an dara maide rámha agus bhuail anuas ar chloigeann siorca é. Shnap an siorc a ghialla, agus thum faoin bhfarraige le filleadh ar an ionsaí. Chuaigh siorcanna eile ag tuairteáil an bháid le súil go gcaithfí an bheirt amach. Scaoil Louise Bheag leis an maide agus tharraing sí an claíomh as a crios.

'Tá sé róghearr,' a bhéic Benjamin. 'Bainfidh an siorc an lámh díot!'

Chuala siad stróiceadh. Bhí an bád tar éis a tóin a scríobadh ar charraig. Ansin chuala siad torann adhmad á scoilteadh a bhain croitheadh as gach clár inti.

'Táimid caillte,' a dúirt an buachaill leis féin.

'Hah!' Le buille uafásach, sháigh Louise Bheag an claíomh i ndroim siorca agus bhris sí an dornchla den chlaíomh. Chaith an siorc é féin siar de phreab agus d'imigh faoin mbád, agus d'fhág sé lorg a chuid fola ar bharr na farraige. Ghluais na siorcanna eile ina dhiaidh lena ithe. Bhí sé ina phlacadh. Dhearg an fharraige le fuil. Bhí na siorcanna ag troid lena chéile, agus an bád ligthe i ndearmad.

'Maith thú,' a dúirt Benjamin, ach bhí an bád ag tógáil uisce.

Thóg Louise Bheag píosa de sheol ón seas agus

shac sí sa pholl é, ansin thóg sí an maide rámha. Sheas sí in airde ar an mball tosaigh agus d'úsáid an maide chun an phionais a threorú trí na sceirdí. Tarraingíodh an bád isteach i nguairneán timpeall ar charraig. Bhuail cúl an bháid faoin gcarraig, agus thosaigh an t-uisce ag doirteadh isteach go tréan. Thosaigh an bád ag iompú. D'éirigh maidhm mhór agus ardaíodh an bád isteach thar na sceirdí.

'Táimid tagtha tríd,' a scairt an cailín.

'Ach táimid ag tógáil uisce,' a dúirt a deartháir, 'agus ag dul faoi.'

Le meáchan an uisce a bhí tagtha ar bord, thosaigh an bád ag moilliú agus ghreamaigh sí den ghrinneall.

'Anois agus na siorcanna ag an bhféasta beimid in ann snámh chomh fada leis an oileán,' a mheas Louise Bheag. 'Táimid beagnach ann.'

Léim an bheirt i bhfarraige. Le cúpla buille snámha, bhain siad an trá amach. Sáraithe, d'fhan siad luite fúthu ar feadh tamaill, béal faoi sa ghaineamh. Nuair a chroch siad a gcloigne chun súil a chaitheamh siar thar a ngualainn, chonaic siad go raibh an bád báite, agus go raibh *Ordóg na Feirge* taobh amuigh de na sceirdí.

'Chaithfeadh sé go bhfuil Tá-agus-Níl ag faire orainn tríd an ngloine féachana,' a cheap Benjamin.

'Bíodh aige! Níl an long in ann teacht isteach thar na sceirdí, agus tá an bád iomartha sna Cayes. Rachaidh Tá-agus-Níl ar thóir Pharabas anocht, ach ní thiocfaidh na foghlaithe mara i ngar do na sceirdí sa dorchadas. Táimid sábháilte go dtí an lá amárach.... Ar chuimhnigh tú go bhfuilimid ar oileán Dheaide? Táimid sa bhaile! Táimid sa bhaile!' a dúirt Louise Bheag arís agus arís eile agus í á hiompú féin sa ghaineamh mar a dhéanfadh madra beag.

Caibidil IV

Oileán na Bó

Chun amharc a fháil thart timpeall orthu, chuaigh an bheirt ag dreapadh go dtí an pointe ab airde ar an oileán. Bhí Oileán na Bó faoi fhásra dlúth glas agus bioranna cloiche ag sá aníos tríd cosúil le heití ar dhroim dineasáir.

'Tuigim cén fáth ar roghnaigh Deaide an áit seo mar bhunáit dó féin,' a dúirt Benjamin. 'B'fhurasta dul i bhfolach ann dá dtiocfadh ort.'

'Is fíor duit é, ach mar gheall air sin níl a fhios againn cá dtosóimid á chuardach.'

Rinne sí staic agus rug sí greim láimhe ar a deartháir. 'Agus má tá gaistí curtha aige ann?' a d'fhiafraigh sí de go himníoch.

Bhreathnaigh siad ina dtimpeall go hairdeallach, agus d'airigh siad go raibh an t-oileán ina n-aghaidh. Cé a leag an raithneach ansin? Céard a d'fhág na loirg sin san fhéar? Cén fáth a raibh stoc an chrainn phailme sin á lúbadh amhail is go raibh rud éigin ag dreapadh air? Arbh in saighead nó géag a bhí ag gobadh aníos as na sceacha sin? Agus an cruth aisteach sin a bhí ag gobadh aníos taobh thiar den chloch mhór: cé a bhí cromtha ar a cúl?

'Sin scáth an chrainn phailme,' a dúirt Benjamin agus é ag dreapadh in airde sa chrann. 'Agus is iad na héin a chorraigh na duilleoga.'

'Agus an crónán sin? An gcloiseann tú an crónán? Tá sé aisteach.'

'Níl ann ach fuaim na farraige.'

'Shílfeá gur thíos faoin oileán a bhí sé, agus go raibh sé ag baint croitheadh as na clocha.'

'Déarfainn go bhfuil an t-oileán lán le pluaiseanna agus le huaimheanna faoi thalamh. Seans go líontar iad nuair a thuileann an taoide.'

'Déarfainn féin gur lán le taibhsí atá siad,' a dúirt Louise Bheag. 'Cosantóirí órchiste Dheaide!'

'Níl tú ach ag cur faitís ort féin.'

'Tá a fhios agam,' a dúirt Louise Bheag. 'Ach tá

fonn orm béic a ligean. Níl an fonn sin ortsa, an bhfuil, tar éis éalú ó na siorcanna?'

'Tá. Dhéanfadh sé maitheas dom.'

Mar sin, thosaigh an bheirt ag béiceadh in ard a gcinn, ag tafann ar nós mic tíre, ag búiríl ar nós ainmhí, gur chuir siad na mílte éan in aer agus gur dhíbir siad na moncaithe go barra na gcrann.

'Ar airrre! Airrrm faoi réirrr!' a bhéic Dún-do-Ghob.

Ach go sciobtha, d'iompaigh na béiceacha ina n-achainíocha.

'A Dheaide! Muidne atá ann! Benjamin! Louise Bheag!'

Ciúnas. Bhí an t-oileán ina thost. Ní raibh le cloisteáil ach na maidhmeanna ag bualadh in aghaidh na gcarraigeacha agus cogarnach na farraige ar an trá.

'Níl aon duine ann,' a dúirt an cailín go dobrónach.

Choinnigh siad orthu ag dreapadh, bhain siad mullach na binne amach agus thug súil thart ar an oileán mórthimpeall orthu.

'Is cosúil le banana é,' a mheas Benjamin. 'Meas tú cén fáth ar thug siad Oileán na Bó air.'

'Mar go gcaithfeadh sé go bhfuil bó ann. Tá tart ormsa, agus ocras. Tá mé sáraithe!'

Lena mbos ar a mbaithis, scrúdaigh siad gach cuid den oileán.

'Tá *Ordóg na Feirge* ag imeacht uainn,' a dúirt an buachaill. 'Tá a fhios ag Tá-agus-Níl go bhfuilimid sáinnithe anseo.'

Thug Louise Bheag croitheadh dá slinneáin. Chaithfidís a gcuid féin a dhéanamh den oileán. Thaispeáin a deartháir eas di ag doirteadh ina shruth bán le fána, agus ceo crochta san aer i measc na gcrann pailme.

'Gabhfaimid sa treo sin,' a mhol sé. 'Bheadh a bhunáit ag Deaide gar d'fhoinse uisce.'

Chuir Louis Bheag deireadh leis an abairt. 'Agus in áit a bheadh éasca a chosaint, agus a mbeadh feiceáil uaidh gan feiceáil air.'

Sular bhog siad ar aghaidh, bhailigh siad cúpla cnó a bhí tite faoi chrann cnó cócó. Bhris siad le cloch iad, agus bhain siad sásamh as an mbainne agus an mbia bán. Lig siad a scíth ar feadh cúpla nóiméad, ansin d'imigh leo arís. Ní raibh an t-oileán mór. Ba ghearr gur tháinig siad ar shruthán, agus ar scata banbh a d'imigh ag teitheadh uathu agus iad ag gnúsacht go scanraithe.

'Cloisim an t-eas,' a dúirt Benjamin. 'Misneach! Is gearr go mbeimid ann.'

Tháinig siad ar an eas, ag doirteadh anuas ó

shleasa an chnoic agus á chaitheamh féin ó charraig go carraig gur thit sé i linn uisce ag a bhun.

'Rás go dtí an t-uisce!' a bhéic Louise Bheag, agus na bróga á mbaint di aici.

Bhain Benjamin de a chuid éadaigh, agus chaith sé é féin i ndiaidh a mhullaigh san uisce.

'Mise a ghnóthaigh,' a scairt sé nuair a bhain sé barr uisce amach.

'B'éasca duit. Ní raibh leath an oiread éadaigh agatsa le baint díot!'

Léim sí féin sa linn agus í ag scairdeadh uisce in aer. D'fhan siad ag spraoi san uisce ar feadh scaithimh, ansin shín Benjamin é féin ar leac chun é féin a thriomú, fad is a bhí a dheirfiúr ag cuardach thart timpeall orthu.

'Hóra! Gabh i leith go bhfeicfidh tú. Tá pasáiste cúng ar chúl an easa.'

'Poll sa charrraig! Dár crrraiceann an diabhail, sin crrraos leathan ifrinn,' a scairt Dún-do-Ghob óna ghéag.

Tháinig Benjamin chomh fada lena dheirfiúr.

'Tá sé aisteach,' a dúirt sí, tá solas an lae le feiceáil

taobh thiar den charraig, amhail is go bhfuil bealach amach ann ar an taobh eile.'

Bhí an bealach isteach cúng, ach d'éirigh leo iad féin a fháscadh isteach. Dhreap siad in airde sa dorchadas gur tháinig siad amach i bpluais mhór a raibh solas an lae ag scalladh isteach inti trí pholl ina barr, poll a rinneadh trí chreimeadh na báistí thar na céadta bliain.

'Ó bhó go deo!' a deir Louise Bheag. 'Cuirfidh mé geall gurb é seo poll folaigh Dheaide.'

Bhí ceithre bhairille bheaga leagtha in airde ar a chéile in aghaidh bhalla na pluaise, chomh maith le carn lomán ón gcoill, tua, claíomh agus sean-mhuscaed. Bhí cláir adhmaid leagtha anuas ar dhá stoc crainn mar bhord, agus lampa ola mhóir leagtha ar a bharr, lastóir breochloiche agus scian. Cloch a bhí in úsáid mar chathaoir, agus bhí éadach leagtha ar na bairillí, málaí ar chrúca sa charraig, agus cúpla cloch i bhfáinne thart timpeall ar luaithreach na tine.

'Bhí mé ag súil le teach adhmaid nó órchiste,' a dúirt sí go díomách.

Ach bhí sceitimíní ar Bhenjamin. 'Níl sé i bhfad ó bhí Deaide anseo,' a scairt sé. 'Breathnaigh. Níl aon dusta ar an mbord!'

D'ardaigh Louise Bheag cupán a bhí leagtha ar an gclár, agus chuimil sí a méar de lorg cruinn an chupáin ar an gclár.

'Tá sé greamaitheach. Cosúil le mil nó molás, nó...'

'Nó rum,' a dúirt a deartháir, agus é ag teacht roimpi. Bhain sé an corc as buidéal. 'Bhí Deaide anseo le cúpla lá anuas.'

'Tá feoil thriomaithe sna málaí,' a dúirt Benjamin. 'Ní chaillfear den ocras muid.' Chonaic sé a dheirfiúr ag cur an chlaímh ina crios. 'Ach céard atá ar bun agat?'

Thóg sí an muscaed agus shín chuige é. 'Leanfaimid orainn den chuardach. B'fhéidir go bhfuil Deaide fós ar an oileán. Chaithfeadh sé go bhfuil níos mó ná áit fholaigh amháin aige.'

Go gairid ina dhiaidh sin, thrasnaigh an bheirt an t-oileán agus iad armáilte ar nós foghlaithe mara. Bhí siad ag súil go dtiocfaidís ar theach nó ar phluais eile ina mbeadh an Captaen Roc, ach, cé is moite de thréad bó agus de cúpla gabhar fiáin, níor tháinig siad ar thada.

'Nílimid á dhéanamh i gceart,' a dúirt Louise Bheag go cantalach. 'Ní ag cuardach atáimid, ach ar seachrán.'

'Má tá poll folaigh eile aige anseo tá sé ceilte go maith aige. Tógfaidh sé am orainn teacht air.'

'Breathnóimid faoi gach cloch ar an oileán más gá, ach tiocfaimid air.'

Labhair Louise Bheag go sásta. 'D'fhéadfaimis tine a lasadh. Má tá Deaide ar an oileán déanfaidh sé iontas den tine agus tiocfaidh sé amach as an áit a bhfuil sé i bhfolach ann go bhfeicfidh sé í. Le titim na hoíche feicfear an tine i bhfad agus i gcéin.'

'Ach meallfaidh sé freisin na saighdiúirí atá sna Cayes agus foghlaithe mara eile,' a cheap Benjamin. 'Ní mhaithfeadh Deaide dúinn go deo é dá dtarraingeoimis aird ar an oileán.'

'Is fíor duit é. B'fhearr dúinn filleadh ar an eas roimh thitim na hoíche,' a dúirt an cailín.

D'imigh siad leo, agus díomá orthu nach bhfuair siad lorg a n'athar. A thúisce is a tháinig siad isteach sa phluais bháigh Louise Bheag a claíomh sa bhord agus shín sí í féin siar agus í ag méanfach. Ghearr a deartháir píosa feola dó féin agus thosaigh á cogaint.

'Céard a dhéanfaimid amárach?' a d'fhiafraigh
sé. 'Tiocfaidh Parabas ar ár dtóir. An imeoimid
leisean nó an bhfanfaimid anseo le Deaide?'

'Braitheann sé ar an scéala a thabharfaidh
Parabas chugainn. Má tá a fhios aige cá bhfuil
Deaide fillfimid ar *Ordóg na Feirge* nó....'

Níor chríochnaigh sí an abairt. Ar feadh
scaithimh, ní raibh le cloisteáil ach Benjamin ag
cogaint a chuid feola.

'Níl ocras ort? An bhfuil uisce uait?'

Chroith Louise Bheag a ceann. 'Meas tú cén sórt
duine é Deaide.'

'Rinne Parabas cur síos air: mór, agus féasóg....'

'Ach cén sórt duine é atá i gceist agam. Ní
chaithfidh sé linne mar a chaitheann sé lena chriú.
Céard a déarfaidh sé nuair a fheicfidh sé muid?'

Sínte ar chlár a droma, d'fhigh an cailín a méara
ina chéile ar chúl a muiníl agus thosaigh sí ag
crónán.

'Sin é an t-amhrán a bhíodh ag Mama,' a dúirt
Benjamin, 'agus is é Deaide a mhúin di é.'

Ansin, as béal a chéile, chan an bheirt:

Chuaigh mairnéalach i gcéin
I mbád breá groí.
Trí bhláth gar dá chroí,
Agus ar a ghualainn, a pheata éin.

B'in é a thaisce is a stór
agus é in ísle brí.
Trí bhláth gar dá chroí,
Agus ar a cheann, hata mór.

Caibidil V

Na hAdharca agus an Poll

An lá dár gcionn, le breacadh an lae, chualathas trí bhuille bhodhra ar an bhfarraige. Búm! Búm! Búm!

'Gach duine faoi airrrm!' a scairt Dún-do-Ghob. 'Luchtaigí na gunnaí! Beidh sé ina bháirrre fola!'

Dhúisigh Benjamin agus Louise Bheag de phreab, agus thóg sé cúpla soicind orthu meabhair a bhaint as an torann.

'Meas tú arbh in í *Ordóg na Feirge*?' a d'fhiafraigh Louise Bheag agus an phluid á caitheamh di aici.

'Níl a fhios agam, ach is aisteach an torann atá ag na gunnaí.'

'Fad is nach í an *Marie-Louise* atá ann agus í i mbun troda le scuadrún den namhaid. Níor mhaith liom Deaide a chailleadh sula dtiocfaimid air.'

Dheifrigh siad amach as an bpluais agus thosaigh siad ag rith i dtreo an chladaigh.

'Fan!' a scairt Benjamin. 'Dreapfaimid in airde ar an mullach thall ansin. Feicfimid a bhfuil le feiceáil, agus níl aon seans go mbuailfeadh piléar strae muid.'

Dhreap siad in airde ar bhinn lom chloiche a bhí ag gobadh aníos os cionn na gcrann pailme agus na gcrann cnó cócó, agus chonaic siad rud nach raibh súil acu leis: long ag iompú a leataoibh le *hOrdóg na Feirge* agus an dá long ag caitheamh go tréan le chéile.

'Slúpa atá inti,' a dúirt Benjamin, 'bád aon seoil. Ach tá sí níos sciobtha agus níos furasta a sheoladh ná long Pharabas. Tá sí tar éis seoladh idir *Ordóg na Feirge* agus an t-oileán.'

'Cén fáth nach gcuireann Parabas í go tóin poill?' a d'fhiafraigh Louise Bheag go mífhoighneach.

Búm! Búm! Búm! Scaoil an slúpa rois eile piléar, ach bhí *Ordóg na Feirge* ag iompú uaithi. D'éirigh scaird uisce amach roimpi. Scaoil gunnaí Pharabas. Sa toirneach, d'éirigh deatach thart timpeall ar an dá long. D'ardaigh rois philéar an fharraige agus rinneadh mionacha den dealbh faoi chrann spreoide an tslúpa.

'Buailte!' a scairt an cailín.

'Ní chuirfidh sé sin as rómhór di!' D'iompaigh an slúpa a leataobh agus nocht na gunnaí arís. 'Ó, a dhiabhail, cuirfidh sí poll i gcabhail *Ordóg na Feirge.*'

'Tá Parabas á tabhairt thart freisin. Ní féidir...' a

dúirt Louise Bheag. 'Tá sé ag teitheadh. Tá sé chun muid a fhágail anseo, an cladhaire!'

'A chladhairrre! A mheatacháin! A phrrriompalláin,' a bhéic Dún-do-Ghob.

'Breathnaigh ar na geáitsí atá orthu ar an slúpa.'

'Dar ndóigh, tá siad ag ceiliúradh.'

Cheartaigh Benjamin í. 'Ní hin amháin é, tá siad ag síneadh méire orainn. Céard atá siad ag déanamh anois? Tá siad ag cur báid iomartha i bhfarraige.'

Thuig an cailín céard a bhí á dhéanamh acu. 'Tá siad ag teacht sa tóir orainn, nó tá siad ag teacht sa tóir ar an dá phíosa de léarscáil atá tatuáilte dár nguaillí,' ar sí. 'Is dóigh go ndearna Parabas an iomarca cainte sna Cayes.'

'Fág seo!' a dúirt an deartháir.

Tháinig siad anuas le fána agus d'imigh siad faoi scáth na gcrann. Scaoil an slúpa rois eile philéar i gceiliúradh ar a mbua, agus an bád iomartha ag déanamh a bealaigh trí na sceirdí.

'Tá gach duine… sa tóir… ar órchiste Dheaide,' a dúirt Benjamin agus é ag rith i dtreo an easa.

'Ní féidir… linn ligint dóibh… é a thógáil,' a dúirt

Louise Bheag faoina fiacla. Chrom sí faoi ghéag íseal dhuilleogach. Bhuail a deartháir fúithi agus is beag nár leag sé í.

'A dhiabhail! Cén fáth ar stop tú? Céard é sin?'

Múchadh an cheist ina scornach. D'éirigh cloigeann ollmhór aníos as na toim. Bhí an beithíoch ag breathnú orthu, agus an oiread iontais air is a bhí orthu féin. Ach d'iompaigh an t-iontas ina bhagairt. Lig an bhó puth anála aisti, chrom sí a ceann, agus scríob sí an talamh fúithi lena crúb.

'Chun farrraige, a chorsaeirrr! Ainmhí adharcach!' a bhéic Dún-do-Ghob, agus é ag eitilt os a gcionn.

'Fainic,' a dúirt an bheirt as béal a chéile.

Rómhall. Bhí an bhó ag déanamh orthu, a ceann fúithi agus an dá adharc amach roimpi. Chas Benjamin agus a dheirfiúr ar a sála agus d'imigh siad de rith uaithi. Chaith siad an raithneach de léim, d'éalaigh siad idir na crainn bhananaí, ag breith ar ghéaga le cabhrú leo treo a athrú. Chuir an fásra dlúth moill orthu, ach chuir sé moill freisin ar an mbó.

'Sa treo seo,' a bhéic an buachaill nuair a chonaic sé a dheirfiúr ag braiteoireacht.

Dhreap sí in airde ar charraig chun ruathar na bó a sheachaint, léim sí i ndiaidh a dearthár, agus thit as amharc faoi thom bláthanna.

Chuala Benjamin clocha ag titim le fána. Thug an bhó féachaint thar imeall an phoill, go sásta, agus d'imigh léi ar sodar. Rinne Benjamin ar an bpoll agus shín sé é féin anuas ar a bholg. 'A Louise Bheag! A Louise Bheag!'

Chuala sé a glór, curtha as a riocht ag macalla. 'Tá mé ceart go leor. Níl tada orm. Tá mé i bpluais. Cineál pasáiste. Breathnóidh mé go bhfeicfidh mé cá dtabharfaidh sé mé.'

'I bpoll dorrrcha an diabhail,' a scairt Dún-do-Ghob. 'Tá sí i bpoll dorrrcha an diabhail!'

'Ná déan. Fan ansin. Cuirfidh mé fios ar na foghlaithe mara. Cén dochar má thógann siad muid. An gcloiseann tú mé? An gcloiseann tú mé?'

Ní bhfuair sé aon fhreagra. Ní raibh a fhios ag Benjamin céard a dhéanfadh sé — imeacht sa tóir ar chabhair nó fanacht go dtiocfadh Louise Bheag ar ais? Céard a bheadh le feiceáil aici, a d'fhiafraigh sé de féin. Bheadh sé chomh dubh le pic thíos ansin, a mheas sé. Ach ina ainneoin sin, bhí sé in ann solas éigin a fheiceáil thíos sa pholl. 'An bhfuil tú ansin?'

'Agus cé eile a bheadh ann? Tháinig mé ar thóirse.'

'Tóirse? Faoi thalamh?'

'Tar anuas. Sleamhnaigh anuas ar do dhroim. Béarfaidh mise ort.'

'An bhfuil tú as do mheabhair? Cén chaoi a dtiocfaimid aníos?'

'Ná bíodh imní ort. Tá mé ag ceapadh go bhfuil áit rúnda Dheaide aimsithe agam. Tharla nach tríd an bpríomhdhoras a tháinig mé isteach, is cinnte go bhfuil bealach eile amach as.'

'Thar barr!' a deir Benjamin go sásta. 'Is cuma cén fhad a bheidh na foghlaithe mara ar ár dtóir ní thiocfaidh siad go deo orainn.'

Bhain sé cúpla tor a raibh duilleoga móra orthu agus chlúdaigh sé an poll leo.

Bhreathnaigh Dún-do-Ghob air ag obair, agus sháigh se a cheann isteach idir na duilleoga. 'Rrrrrrú!'

D'fháisc an buachaill a lámh timpeall ar mhuineál na pearóide. 'Tá tusa ag teacht linn, agus dún do ghob!'

Shleamhnaigh sé isteach sa pholl i ndiaidh a chosa, agus an t-éan i ngreim aige.

'Cabhairrr! Crrreachadóirrrí! Dúnmharfóirrrí! Fealltóirrrrí!' Múchadh na béiceacha faoin talamh.

I mBolg an Oileáin

Shoilsigh an lasair an pasáiste — tollán a ghearr sruthán tríd an gcarraig san am a caitheadh — ach bhí lorg an duine le feiceáil go soiléir sna fáinní iarainn ina raibh na tóirsí coinnithe ar bhallaí na pluaise.

'Tóirsí clúdaithe in amadou,' a mhínigh sí dó. 'Ní raibh le déanamh agam ach iad a chuimilt in aghaidh an bhalla lena lasadh.'

Thóg Benjamin tóirse anuas agus scríob in aghaidh na cloiche é gur phléasc sé ina thine.

'Rrrrrrrú,' a scairt an phearóid, agus í ag iarraidh éalú uathu.

Ach choinnigh an buachaill greim docht air. 'Céard a fuair tú?' a d'fhiafraigh sé dá dheirfiúr.

Gan freagra a thabhairt air, d'imigh an cailín síos an pasáiste roimhe.

'An gceapann tú gurb é Deaide a d'fhág na tóirsí anseo, agus a ghearr na céimeanna seo sa talamh?'

'B'fhéidir gurb iad na chéad daoine a bhí ina gcónaí ar an oileán a rinne é sin,' a dúirt Louise Bheag. 'Indiaigh na Cairibe, gan amhras. Ach is léir gur poll folaigh do na foghlaithe mara atá anois ann.'

Lean Benjamin síos an pasáiste í, agus lig sé fead as. Bhí siad i bpluais ollmhór, cineál halla a raibh pluaiseanna eile ag síneadh uaidh, agus cuid di faoi uisce. Bhí an t-uisce ag tonnaíl go bog ciúin isteach ar urlár na pluaise, agus solas gorm ag glioscarnach in íochtar na linne, rud a thug le fios go raibh solas an lae ag déanamh bealach isteach faoin gcarraig. Chroch an bheirt a gcuid tóirsí go bhfeicfidís a raibh os a gcomhair amach. Troscán adhmaid greanta, rí-chathaoireacha in adhmad órdhaite, agus cófraí carntha os cionn a chéile.

'Órchiste an Chaptaein Roc,' a d'fhógair Louise Bheag. 'Órchiste s'againne!'

Baineadh an anáil de Bhenjamin. 'Thógfadh sé creachadh na mblianta an méid sin saibhris a chruinniú!' Rith Louise Bheag chuig ceann de na cófraí. In áit é a bheith faoi ghlas, d'oscail sí é gan stró.

'Léinte,' ar sí, agus iontas uirthi. D'oscail sí ceann eile. 'Lása.' D'oscail sí na cófraí ar fad, ceann i ndiaidh a chéile 'Éadaí! Agus braillíní! Agus an troscán seo ar fad! D'fhéadfaí siopa troscán a oscailt anseo!'

'Ar a laghad ar bith tá mo sháith éadaigh agam anois,' a dúirt Benjamin, agus léine á roghnú aige dó féin. 'Chaithfeadh sé gur bhain Deaide an t-éadach de leath na ndaoine sa Domhan Nua leis an méid seo a bhailiú.' Rinne sé gáire. 'Bainfear geit as an dream atá sa tóir ar ór!'

'Bhí an ceart ag Parabas nuair a dúirt sé nach raibh san oileán seo ach lorg bréagach. Tá Deaide glic: tá a órchiste i dtaisce in áit éigin eile aige, áit níos sábháilte.'

'Sin an fáth go bhfuil an oiread spéise inár gcuid tatúnna,' a chuimhnigh an buachaill.

'Tá súil agam nach dtiocfaidh siad ar an mbealach isteach,' a dúirt Louise Bheag de chogar,

amhail is go raibh faitíos uirthi go dtabharfadh an macalla a cuid focal aníos trí na pluaiseanna.

'Tá faitíos orm go bhfanfaidh siad ar an oileán agus go mbéarfaidh siad orainn. Cá bhfios cén t-achar a chaithfimid fanacht faoi thalamh.'

'Go dtí go bhfillfidh Deaide,' a dúirt an cailín go cinnte. 'Beidh seisean in ann iad a ruaigeadh!'

'Tá sé chomh maith againn breathnú timpeall. Tá súil agam gur fhág sé bia anseo.'

'Agus airm agus armlón ionas go mbeimid in ann an áit a chosaint má dhéanann an namhaid iarracht teacht isteach.'

'Tosóimid leis an tollán os ár gcomhair amach,' a mhol Benjamin.

Dhreap siad ar ais suas an pasáiste. Bhí bairillí beaga púdair leagtha ar an talamh gach caoga slat, nó mar sin, amhail is go raibh sé i gceist go bpléascfaí an phluais ar fad i gcás práinne. Bhí airm ar fud na háite: muscaed anseo, muirchlaíomh ansiúd, agus marc-chlaíomh níos faide ar aghaidh.

'Tá faobhar ar na claimhte, agus tá na muscaeid luchtaithe,' a dúirt Louise Bheag. 'Bhí a phlean straitéiseach faoi réir ag Deaide. Tá dóthain púdair anseo leis an oileán a chur in aer. Tá mé sásta. Tá gach rud againn a theastódh chun muid féin a chosaint.'

Tháinig siad chuig deireadh pasáiste agus chas siad ar a sála, ansin chas isteach i bpasáiste eile a thug ar ais iad go dtí an halla mór.

'Táimid ag dul thart i gciorcal,' a dúirt Louise Bheag. 'Ionas nach mbeimid ag filleadh ar ár lorg féin, lasaimis na tóirsí sna pasáistí agus muid ag dul tharstu.'

Bhain siad triail as pasáiste nua, agus tháinig siad ar stór iasc saillte i mála a rinneadh as seanseol, agus bairille lán le huisce.

'Ní bhfaighimid bás den ocras ná den tart,' a d'fhógair Benjamin.

Tháinig deireadh leis an bpasáiste ansin agus b'éigean don bheirt filleadh ar ais arís. Chuaigh siad síos pasáiste eile ansin, agus tháinig siad chomh fada le carn cloch, chas ar ais gur tháinig siad ar an gcúigiú pasáiste agus chuaigh siad amú i sraith pluaiseanna beaga. Ag pointe amháin, shíl siad go bhfaca siad solas an lae, ach ní raibh ann ach an halla mór a bhí rompu ag deireadh an phasáiste.

'Níl mé in ann aige seo níos mó,' a dúirt Louise Bheag, agus lig sí í féin anuas ar cheann de na cófraí.

'Shílfeá go raibh na pasáistí gearrtha i bhfoirm réalta timpeall ar an halla mór, agus nach bhfuil siad ag dul in aon áit.'

'Is geall le nead damháin alla é! Gaiste ina bhfuilimid sáinnithe ar nós na míoltóige!'

'Ligimis ár scíth. Ní gá dúinn leanacht ar aghaidh ag cuardach bealaigh amach. Níl le déanamh againn ach na cófraí a charnadh ar a chéile agus dreapadh amach tríd an bpoll inar thit tú isteach.'

Níor thug Louise Bheag freagra air. Lig sí osna aisti, amhail is go raibh sí ag ligean leis an teannas ar fad a bhí á ciapadh, 'Ní raibh mé riamh chomh caillte,' a d'admhaigh sí. 'Airím uaim Mama.'

'Airíonn, agus mise! Ach ní rabhamar riamh chomh gar seo do Dheaide roimhe seo.'

'Scalltáin   drrreoilín!   Ál   cirrrce!   Patacháin
ghiorrria!'
'Dún do ghob!' a scairt an bheirt as béal a chéile.

Caibidil VII

Áille agus Brúidiúlacht

Le hais a chéile ar an gcófra céanna, bhí Benjamin agus Louise Bheag ina suí go foighneach sa phluais.

'An gceapann tú go bhfuil an t-oileán cuardaithe ag na foghlaithe mara faoin am seo?' a d'fhiafraigh an buachaill.

'Níl tuairim agam cén fhad atáimid anseo.'

'D'fhéadfaidís a bheith díreach os ár gcionn.'

'Cuireann sé faitíos orm nuair a chuimhním go bhféadfadh duine acu a chos a leagan gar don pholl.'

'An bhfuil seans ann go n-aimseoidh siad an folach taobh thiar den eas?'

'B'fhéidir go bhfuil siad ag fanacht linn ann.'

Leis sin, chuala siad torann cosúil le cloch ag titim le fána. Dhírigh an bheirt aníos. An bhféadfadh sé go raibh ainmhí tar éis titim isteach sa phluais? Chuir siad cluas orthu féin. Ar dtús níor chuala siad tada. Ansin chonaic siad solas lag i bpasáiste nach raibh cuardaithe acu.

'Tá siad tagtha isteach,' a dúirt Louise Bheag de chogar. Rug sí ar an bpearóid agus d'fháisc sí a ghob ina méaracha.

Bhuail faitíos Benjamin. Theastaigh uaidh éalú trí phasáiste eile, ach mhol an cailín dó dul i bhfolach in éineacht léi faoi na héadaí. Go sciobtha, an-sciobtha, luigh siad siar idir na cófraí agus tharraing siad anuas orthu féin carn cótaí, gúnaí, léinte, cóirséad, sciortaí, caipíní, veisteanna, scaifeanna, agus braillíní.

'Má labhrann tú focal tachtfaidh mé thú,' a dúirt Louise Bheag le Dún-do-Ghob.

'Rrrrrú...'

Tháinig coiscéimeanna i ngar dóibh. Choinnigh na hógánaigh a n-anáil istigh. Sheas beirt fhear isteach sa phluais.

'Tá an dá mhalrach tar éis gach rud a chaitheamh amach tromach tramach,' a dúirt glór amháin.

Las rinn claímh orlach ó chloigeann Bhenjamin. Bhuail faitíos é nuair a chuimhnigh sé go bhféadfadh na foghlaithe mara a gcuid claimhte a shá sna héadaí.

D'fhreagair an fear eile. 'Sin hata agus cleite a d'fheilfeadh go maith domsa!'

'Chaithfeadh sé gur éalaigh siad siar i gceann de na tolláin sin,' a mheas a chomrádaí. 'Cuirfimid amach iad.'

'Ach cá dtosóimid?'

Trí pholl beag thug Louise Bheag súil amach ar an bpluais. Bhí an bheirt fhear ina seasamh in aice léi, ar bhruach an locháin. Fear mór gorm a bhí i nduine acu, é nocht go básta, hata cleiteach air agus muirchlaíomh ina láimh. Indiach a bhí san fhear eile, cóta craicinn fia air agus sleá ina láimh. Scrúdaigh sé loirg na gcos ar an talamh.

'Gabhfaimid an treo seo,' a dúirt sé.

D'imigh an bheirt fhear.

'Anois an t-am le himeacht,' a dúirt sí de chogar. 'Imeoimid sa treo as ar tháinig siad.'

D'éirigh siad, agus chaith díobh an carnán éadaigh a bhí á gclúdach.

'Bhí a fhios agam go maith gur anseo a bhí sibh,'

a labhair an guth taobh thiar díobh. 'Ní raibh orm fiú na cófraí a oscailt ná dul ag cartadh sna headaí chun sibh a chur amach.'

An glór sin! D'iompaigh siad thart agus chonaic siad Marie Dhearg, foghlaí mara buíchraicneach Phort-Royal.

'Gheall mé daoibh go gcasfaí ar a chéile arís muid.'

Lig sí fead faoina méaracha agus tháinig an bheirt ar ais agus iad lagtha ag gáire. 'Chreid siad an scéal sin!' a dúirt an fear gorm. 'Chreid siad go rabhamar chun na pasáistí ar fad a chuardach!'

'Cén chaoi ar tháinig sibh orainn?' a d'fhiafraigh Louise Bheag.

'Le bhur n-athair a aimsiú chaithfeadh sibh teacht go dtí na Cayes,' a mhínigh an bhean óg. 'Tháinig mo longsa ar *Ordóg na Feirge* ag déanamh ar Oileán na Bó. B'ansin a chonaic mé sibh ar bharr na carraige.'

'Agus bhí a fhios agat faoin bpluais seo?' a d'fhiafraigh Benjamin di.

'D'aimsigh mé í i bhfad ó shin, trí sheans, agus muicín bheag dhubh á leanacht agam. A Mhalibu, múch na tóirsí sa phluais mhór,' a d'ordaigh sí don fhear gorm. 'Tá bealach isteach anseo faoi leibhéal na mara,' a dúirt sí leis na hógánaigh. 'Sin é an fáth gur féidir grinneall an locháin a fheiceáil. Ach ar an mbealach céanna is féidir solas na dtóirsí a fheiceáil ón taobh amuigh. Sin é an chaoi go raibh a fhios agam gur anseo a bhí sibh. Cén chaoi ar tháinig sibh ar an áit seo?'

'Titim i bpoll,' a dúirt an buachaill. 'Ach má dhéanann sibh aon dochar dúinn beidh Parabas in bhur ndiaidh,' a dúirt sé nuair a chonaic sé an tIndiach ag plé lena mhiodóg.

Rinne Marie gáire. 'Is fada as seo Parabas! Ná bí ag súil le cúnamh ó dhuine ar bith. Ach ní thuigim cén fáth a bhfuil sibh chomh mór sin leis an gcunús sin de mharquis!'

'Shábháil sé muid ón bhFéasóg Dhubh agus tá sé ár dtabhairt chuig ár n-athair,' a d'fhógair Louise Bheag.

'Agus an bhfuil a fhios agaibh cé hé féin ó cheart?'

'Ba é máta Dheaide é sula bhfuair sé long dá chuid féin.'

'Sular fheall sé air!' Cheartaigh Marie Dhearg í. 'Thug Parabas an Captaen Roc ar láimh do na Sasanaigh lena chosa féin a thabhairt slán. Is bucainéir é den chineál is measa. Níl ach cloch amháin ar a phaidrín: órchiste bhur n-athar a ghoid!'

'Tá Deaide ina phríosúnach ag na Sasanaigh?'

'D'éirigh leis éalú sula bhfuair siad deis é a chur sa chillín. Ach má thagann sé ar Pharabas...'

'Déanfaidh sé bia do na prrreéacháin de Pharrrabas!' a bhéic an t-éan.

'Bhí amhras orm faoi Pharabas,' a dúirt Louise Bheag.

'Ach tusa, céard atá uaitse?' a d'fhiafraigh Benjamin de Mharie.

Leath aoibh an gháire ar an bhfoghlaí óg. 'Tá sé sin ag déanamh imní duit, an bhfuil?' Chuir sí fios ar an Indiach. 'A Thepos, taispeáin dom an rud a bhfuilimse ar a thóir.'

Rug an fear greim ar an ngasúr, chas thart é agus ghearr píosa dá léine, ansin rinne sé an rud céanna leis an gcailín. Thug Malibu tóirse chomh fada leis an dá thatú greanta ar ghuaillí na beirte.

'Tá an ceathrú cuid de léarscáil ar bhur ngualainn ag an mbeirt agaibh,' a dúirt Marie. 'Tharla go bhfuil a leath agamsa cheana féin, beidh mé anois in ann teacht ar an áit a chuir an Captaen Roc a chuid óir i bhfolach.'

'In ainm na ndéithe ar fad,' a d'fhógair an tIndiach. 'Is mar a chéile iad.'

'Céard atá i gceist agat?'

'Níl ar a nguaillí ag an mbeirt sin ach an léarscáil chéanna atá agatsa cheana féin!'

'An bhfuil tú cinnte?'

'Tá sé feicthe chomh minic agam,' a dúirt Tepos, 'go bhfuil sé ar eolas de ghlanmheabhair agam.'

'Céard a chiallaíonn sé sin?' a d'fhiafraigh Louise Bheag di féin. 'An bhfuil an léarscáil iomlán ag gach duine againn?'

'An raibh an Captaen Roc ag magadh fúinn?' a dúirt Marie go searbh. Bhioraigh sí a súile agus í ag breathnú ar an mbeirt ógánach. 'Is ionann sin is a rá nach bhfuil sibh ag teastáil níos mó! A Thepos, a Mhalibu, faighigí réidh leis an mbeirt seo dom.'

Caibidil VIII

Ó Léarscáil Amháin
go Léarscáil Eile

Shín Malibu a thóirse chuig Marie, ansin rug sé ar Bhenjamin agus d'ardaigh sé a chlaíomh.

'Fan ort!' Chrom Tepos agus chuir sé cogar i gcluais Mharie i dteanga na Cairibe, teanga mháthair na hógmhná.

Chuir Marie smut uirthi féin, ansin chroith sí a ceann go míshásta. 'Ceart go leor, leanaidís muid! Ach ní féidir liomsa iad a chosaint ar thimpiste nó ar philéar ón namhaid.'

Duine i ndiaidh a chéile, lean siad cosán trí tholláin a thug amach faoi sholas an lae iad. Bhí béal na pluaise folaithe taobh thiar de charraig mhór a bhí clúdaithe le fásra — duilleoga móra a leath an bheirt fhear ar ais os comhair bhéal na pluaise. Ansin, rinne siad a mbealach tríd an gcoill síos le fána i dtreo na trá.

Go tobann, tháinig corraíl san fhéar fada agus sa raithneach. Sheas buíon foghlaithe mara amach rompu agus a gcuid muscaed dírithe acu orthu. Lig Tepos agus Malibu uathu a gcuid arm. Shiúil Parabas anonn chuig Marie agus bhain sé an piostal as a crios.

'Níor shíl tú go raibh mé éirithe as ar fad?' a d'fhiafraigh sé di. 'Ní dhearna mé ach *Ordóg na Feirge* a thabhairt siar de bheagán, ach i ndáiríre ba ag dul timpeall an oileáin a bhíomar. Chuireamar i dtír ar an taobh eile den oileán, agus seo anois muid! Díreach in am, is cosúil.' Bhreathnaigh sé ar na hógánaigh. 'Ar chuir sibh aithne ar a chéile?'

'Níl tada ar eolas acu sin,' a dúirt an bhean óg de ghnúsacht.

'Mar sin, ba chóir é a insint dóibh!' Thóg sé a chlaíomh, ghearr na hiallacha ar a cóirséad, agus nocht sé gualainn chlé Mharie Dhearg. 'Agus cuirim in aithne sibh do bhur ndeirfiúr mhór! Nó, ó cheart, bhur leasdeirfiúr mhór,' a dúirt sé, 'iníon an Chaptaein Roc.'

Rinneadh staic de Bhenjamin agus de Louise

Bheag, a gcuid súl greamaithe den léarscáil a bhí
tatuáilte dá craiceann.

'Chuir an Captaen Roc leathléarscáil ar gach
duine dá chuid páistí,' a dúirt Parabas. 'Ní bhfuair
sibhse ach an ceathrú cuid an duine, mar ní
fhanann leathchúplaí i bhfad ó chéile riamh. Ach
eadraibh, tá leath na léarscáile agaibh. An rud nach

bhfuil a fhios ag Marie, ná gur thug bhur n-athair an leath chéanna den léarscáil daoibh ar fad. An leath eile, tá sé ar a dhroim féin.'

D'iompaigh Benjamin i dtreo Mharie. 'Cén fáth nár inis tú dúinn gur tú ár leasdeirfiúr, nuair a bhíomar in éindí i bpríosún Phort-Royal?'

'Bhí fonn orm é sin a insint daoibh,' a dúirt Marie leis, 'ach ní raibh a fhios agam céard a déarfadh sibh. Ar fhaitíos go mbeadh oraibh bhur n-athair nó a órchiste a roinnt liomsa, d'fhéadfadh sibh mé a fhágáil i dtigh an diabhail i mo chillín.'

'Ach tusa, cén chaoi a bhfuil an t-eolas seo ar fad agatsa?' a d'fhiafraigh Louise Bheag de Pharabas.

'Tar éis go leor ama a chaitheamh leis an gCaptaen Roc, is beag rún atá aige nach bhfuil ar eolas agamsa. Gan fhios dó, rinne mé cóip de léarscáil Mharie nuair a bhí sí ina leanbh. Bhí tú ró-óg le go mbeadh cuimhne agat air,' a dúirt sé léi. 'Tar éis bhás do mháthar, d'fhág d'athair faoi chúram d'uncail Tepos thú, agus d'fhill seisean ar an bhFrainc.'

Tháinig Benjamin roimhe. 'Sin é an fáth gur fearr an t-eolas a bhí ag an Indiach ar an léarscáil ná mar a bhí ag Marie féin. Bhí sí faoina shúile aige i gcaitheamh na mblianta.'

'Phós an Captaen Roc arís agus saolaíodh beirt pháistí eile dó,' a dúirt Parabas. 'Ach bhí tarraingt ag an bhfarraige i gcónaí air. Fuair sé long dó féin, agus criú nua, agus d'fhostaigh sé mise mar mháta.'

'Nuair a thug sé an *Marie-Louise* ar a long ní ainm Mhama a bhí i gceist, ach ainm a chéad iníne,' a dúirt Louise Bheag.

Ligeadh béic. D'imigh Tepos agus Malibu rompu i ndiaidh a mullaigh, ag brú na bhfear as a mbealach agus iad ag imeacht de rúid trí dhlús na coille. Thapaigh Marie Dhearg an deis chun Parabas a

leagan agus imeacht de léim thar charraig. D'imigh duine de na foghlaithe mara de rith ina diaidh, ach d'imigh sí air san fhásra duilleog agus bláthanna ollmhóra.

'Tá fios an oileáin seo ag an ngearrchaile sin,' a deir Parabas go míshásta leis féin. 'Ní fiú a bheith ina diaidh, ní thiocfaimid uirthi go deo.'

'Ní maith go gcreidim é,' a dúirt Louise Bheag léi féin. 'Is í Marie ár ndeirfiúr, ach bhí sí ag iarraidh muid a mharú sa phluais.'

Chuimil Parabas salachar dá chóta. 'Duine éadmhar í. Tá an t-órchiste uaithi di féin agus di féin amháin. Agus ní mhaithfidh sí go deo é dá hathair gur fhág sé í ina dhiaidh.'

'Meas tú céard a dúirt an tIndiach léi a thug uirthi muid a fhágáil inár mbeatha?'

'I measc mhuintir na Cairibe, creidtear go gcuireann na déithe mallacht ar an té a mharódh a dhearthár. Is cinnte gur mheabhraigh Tepos é sin di.'

Chomharthaigh Parabas dá chuid fear filleadh i dtreo na farraige. Agus iad ag siúl, nocht Louise

Bheag an scéal a bhí ag déanamh tinnis di. 'D'inis Marie dúinn gur imir tú feall ar ár n-athair.'

'An gcreideann tú í?'

'Creideann.'

'Ní raibh an dara rogha agam.' Lig Parabas osna as. 'Chuir an Captaen Roc mé féin agus cúpla fear eile i dtír. Tháinig patról Sasanach orainn. Dúirt siad nach gcuirfidís chun báis mé dá dtabharfainn d'athair ar láimh dóibh. Tá caitheamh ina dhiaidh orm ó shin.'

'Mar gur chaill tú leath de léarscáil an órchiste! Chaithfeadh sé gur dhamhsaigh tú le ríméad nuair a tháinig sé slán!'

'Bhí a fhios agat go raibh an chuid chéanna den léarscáil againne is a bhí ag Marie,' a dúirt Benjamin. 'Sin é an fáth nach ndearna tú aon iarracht breathnú ar ár gcuid tatúnna. Is beag nár chuireamar muinín ionat mar gheall air sin. Go deimhin, shábháil tú ón bhFéasóg Dhubh muid chun muid a úsáid le breith ar Dheaide.'

'Is mar a chéile tú féin agus an Fhéasóg Dhubh,' a dúirt an cailín. 'Níl uait ach an t-ór.'

'Is foghlaí mara mé,' a dhearbhaigh Parabas dóibh. 'Anois, dúnaigí bhur mbéal.'

'Ní dhúnfaidh go n-inseoidh tú dúinn céard atá beartaithe agat. An bhfuair tú aon eolas faoi Dheaide nuair a bhí tú sna Cayes?'

'Níl ó bhur n-athair féin ach ór, freisin. Tá sé ráite go bhfuil ór na Máigeach* aimsithe ag na Spáinnigh agus go bhfuil gaileon le luchtú acu lena thabhairt go Sevilla. Tá sí le luchtú i gCampeche ar chósta Mheicsiceo. Tá an Captaen Roc ar an mbealach ann cheana féin. Agus leanfaimidne é. Níor mhaith liom go n-éalódh sé uainn,' a chríochnaigh sé agus aoibh an gháire air.

'Níl ionat ach cunús,' a dúirt Louise Bheag. 'Agus níl ionainne, mar sin, ach príosúnaigh.'

Go sciobtha, leag Parabas lann a scine ar a scornach. 'Sách ráite, ach anois dún do chlab.'

'Sách rrráite! Dún do chlab nó caithfearrr chuig na siorrrcanna thú!'

'Tabhair cluas don phearóid. Tá comhairle mhaith aige daoibh.'

Nuair a bhain siad an cladach amach fuair siad

* Na Máigigh: pobal a bhí i réim i Meiriceá Láir roimh ionradh na Spáinneach.

bád ag fanacht leo, agus *Ordóg na Feirge* ag damhsa ar an bhfarraige taobh amuigh de na sceirdí. Bhí Dún-do-Ghob suite in airde ar ghualainn Pharabas, leathcheilte faoina hata leathan. Shín Louise Bheag amach a lámh agus stróic sí cleite as a eireaball.

'Maith thú,' a gháir Benjamin.

'Rrrrrrrrrú!'

GLUAIS

sceir, sceirdí: carraigeacha faoi bharr an uisce
crompán: cuan beag caol
graiféad: crúca iarainn
bord na heangaí: taobh na láimhe clé de bhád
bord na sceathraí: taobh na láimhe deise de bhád
seas: suíochán cláir ar bhád iomartha
deic (deic dheiridh, deic thosaigh): urlár uachtarach na loinge
droichead: ardán ar an deic dheiridh
caiseal: spás faoin droichead ina mbíonn an cábán
slat bhoird: ráille thart timpeall ar long nó bád
rigín: rópaí na seolta
lainnéar: rópa chun seol a ardú nó a ísliú
frídeoir: rothlán chun lainnéar a ardú nó a ísliú
scód: rópa a smachtaíonn seol
crann seoil: cuaille mór ingearach adhmaid
slat: trasnáin adhmaid as a gcrochtar na seolta
crann spreoide: cuaille a shíneann amach ó thosach na loinge
halmadóir: maide stiúrach ar bhád beag
máta: leaschaptaen loinge
bruigintín: Long dhá chrann feistithe le seolta cearnógacha.
frigéad: long chogaidh a raibh luas aici
gaileon: long mhór throm
slúpa: bád a raibh crann amháin uirthi
pionais: bád beag sciobtha a raibh crann amháin uirthi
ród: farraige dhomhain ina gcuirtear long ar ancaire
rum: deoch mheisciúil a d'óladh mairnéalaigh
amadou: sponc inlasta a déantar as fungas
cabhail loinge: corp na loinge